科音少女團

作者・陳四月　　繪畫・多利

MiSSiON 2：大人國與小人國

作為創意科技發展先驅的「元域集團」，創立了首間著重虛擬體驗與現實融合的教育學院——「元域學院」！學院選拔出全國極具潛能的年輕一代，培訓學生的想像力、意志力和正確價值觀。

在這所新建立的學院裡，首屆的學生介乎十至十四歲之間；共分成五個班別，每一班十八名學生。其中，一年三班的班主任是費安娜教授，學生已分成六組，包括星彩組、小愛組……他們以分組執行任務的比賽方式，展開了不同的「元域探索課程」。

上一回，他們闖進了參照《地心探險記》所創造的虛擬世界，在這個探索園區裡，經歷了各種擬真度極高的大冒險。今次，嶄新的旅程和沉浸式體驗，將會參照《格列佛遊記》建構而成；Meta, Go!

目　錄　　CONTENTS

第一課	嶄新冒險 ▶ P.9
第二課	孤獨的她 ▶ P.19
第三課	幽靈少女 ▶ P.30
第四課	再度啟航 ▶ P.37
第五課	新的任務 ▶ P.49
第六課	失手被擒 ▶ P.59
第七課	逃出生天 ▶ P.71
第八課	秘密基地 ▶ P.79
第九課	自由意志 ▶ P.91
第十課	奪回土地 ▶ P.103

星彩隊

周星彩 //////// 14歲

活潑好動，充滿好奇心。行動力強，常常因衝動行事而碰壁，但樂觀愛笑，不會輕言放棄。身為長女的星彩自小擅於照顧四個弟妹，所以長大後很會照顧別人。

身高	155cm	**血型**	B
星座	射手座		
興趣	只要不用乖乖坐定的事情都感興趣		
專長	運動項目，特別是跑步		
討厭	潮濕的天氣和下雨天		
食物	只要是肉類都喜歡		
道具	超凡動力鞋		

陳妍書 ///////// 14歲

個子高高，性格十分內向。說話陰聲細氣，不擅與人交流。出身在名門世家，但她對繼承父業不感興趣，更喜歡研究動物和植物，夢想是擁有屬於自己的動植物公園。

身高	166cm	**血型**	AB
星座	雙子座		
興趣	看書（特別是愛情小説），研究和動植物相關的資訊		
專長	學習能力高，琴棋書畫樣樣皆精		
討厭	與陌生人接觸和交談		
食物	水果和沙拉		
道具	神秘生物圖鑑		

韓珍妮 ///////// 14歲

身材矮小，性格孤僻倔強。天資聰穎，記憶力強，在學校成績優異。家境清貧，父母自幼雙亡，由嫲嫲一手照顧。志願是成為發明家，希望藉此賺取很多很多金錢。

身高	142cm	**血型**	O
星座	獅子座		
興趣	躲在房間研究新發明		
專長	過目不忘的記憶力和創新思維		
討厭	比自己成績優異的人，自己高的人		
食物	所有甜食		
道具	鍊金術手套		

小愛隊

李愛夢 ///////// 14歲

音樂領域的天才少女，年紀輕輕已熟練掌握多種樂器，是大人小孩也喜愛的偶像歌手。雖然小愛在人前表現得充滿自信，但其實她很害怕被觀眾遺忘，因而漸漸失去在表演中得到的喜悅。

身高	160cm	血型 A
星座	天蠍座	
興趣	看粉絲的留言	
專長	唱歌跳舞，樂器演奏	
討厭	網民的惡意批評	
食物	沙拉	
道具	冰雪水晶鞋	

韋恩 ///////// 14歲

出生在赫赫有名的官僚世家，父親是位高權重的軍官，他自小接受軍訓式的嚴厲教育，是十項全能的超新星。自從姐姐昏迷不醒後，便自我封閉起來，從此給人傲慢嚴肅、冷漠無情的壞印象。

身高	175cm	血型	AB
星座	白羊座		
興趣	只要和姐姐一起做的事便感興趣		
專長	高度集中力和恆心		
討厭	被稱呼為天才		
食物	雞蛋布甸		
道具	間諜手提包		

司馬流星 ///////// 14歲

專精於天文地理，單靠自己的本領發現未曾被發現的小行星，是有史以來最年輕的發現者。他平易近人，而且笑容可掬，跟韋恩既是兒時玩伴，也是競爭對手。

身高	173cm	血型	B
星座	處女座		
興趣	探索未知的領域		
專長	天文地理，分析能力		
討厭	不能解釋的謎團		
食物	麵包		
道具	小型人造衛星		

嶄新冒險

「人類最偉大的力量是——想像力。」
這是元域學院院長，安德森先生的座右銘。而「元
域探索」，讓學生在虛擬世界進行如幻似真
的冒險，從中培訓學生的想像力、意志力和正確
的價值觀，是元域學院的教育特色。

「噓……你們千萬不要發出聲音。」韓珍妮
緊張萬分，她與周星彩和陳妍書正躲在一個大茶
壺後面。

在虛擬世界中，星彩小組正經歷一場新的冒
險，這次「元域探索」的世界內雖然沒有侏羅紀
恐龍和隨時爆發的火山，但危險程度卻比「地心
世界」有過之而無不及。

「這裡到底是什麼地方？為什麼四周圍的
東西都會變大了這麼多？」星彩環顧四周，輕
聲地問。

歐陸風格的廚房內，每一件傢俬用具也比她認知中龐大了十倍有多，三人躲在茶壺背後似是提防著什麼危險的生物。

「是我們變小了，還是物件變大了……現在下定論還言之過早……」妍書閱讀經驗豐富，她曾在書中看過類似的情況。

「噓！」珍妮再三示意兩人要保持安靜，她們正受到龐然大物的追擊。

星彩和妍書連忙掩住嘴巴，但在這奇幻的虛擬世界內，巨大化的東西不只廚具，就連塵埃也大得令人大吃一驚。

「乞……乞乞……」妍書的鼻子十分敏感，容易因灰塵而出現過敏反應，例如打噴嚏。

星彩和珍妮見狀立即伸手掩住妍書的口鼻，避免她發出聲響曝露三人所在的位置。

「乞嗤！」但制止得了妍書，星彩自己卻打了一個大大的噴嚏。

三人默不作聲互相對望，不出所料，這聲巨響已引來追逐她們的龐然大物。

「喵～」一雙晶瑩剔透的藍眼睛發現了星彩等人，毛色雪白的波斯貓有如史前生物般巨大。

「快逃跑呀！」星彩她們拔足狂奔。

這次「元域探索」到底是什麼地方？一切要從幾天前開始說起。

★　★　★　★　★　★

　　在「地心世界」的冒險結束後，合共十八名學生的一年三班中，星彩小組暫時排名第一。在五次「元域探索」冒險結束之後，得分最高的小組將會獲得一份特別獎勵。

　　這份獎勵就是能在虛擬世界中實現一個願望，無論是一座遊樂場、動物園，還是一艘太空船，元域學院都可以送贈。

　　但並不是所有學生也渴望得到對這份獎勵，例如享受冒險多於結果的周星彩。

　　元域學院雖然是**寄宿學校**，但每逢週六和週日也是沒有課堂的休息日，學生可以留在學院，也可以選擇外出或回家。

　　「常餐一份，凍奶茶少冰。」

　　「收到！馬上來！」星記茶餐廳內，星彩回到父母經營的茶餐廳幫忙。

「原來星彩的父母是這家茶餐廳的老闆，這裡 **遠近馳名**，很多飲食節目也有介紹過啊。」味仙子飲食集團的千金、兼星彩的同班同學——蔡京華十分欣賞這極具地道風味的小店。

「你們是星彩的同學吧？多吃點，不用跟我們客氣的！」星彩的母親端滿一桌子美食，對女兒的朋友熱情招待。

「謝謝伯母！」除了蔡京華、洪可妮和白秀樹外，還有三個貪吃的紅髮小豆釘對美食 **垂涎欲滴**。

「你們別阻住哥哥姐姐，快點跟我過來。」
星彩的三個弟妹只有五，六歲，看到星彩手上的
菠蘿油後，像小雞跟
著母雞走。

「這裡的東西真的很好吃啊！」小小手作人可妮，對星記茶餐廳的西多士讚口不絕。

「你的嘴邊沾滿奶油了……星彩，謝謝你的招待。」在射擊運動表現出眾的白秀樹，像照顧小孩子般為青梅竹馬的可妮抹乾淨嘴巴。

「不用客氣啦！在地心世界冒險時，若不是得你們出手相助，我早已被淘汰了。」賽跑健兒星彩手腳**敏捷利落**：落單點菜、清潔枱面、為客人上菜，全部一手包辦。

雖然科技已變得更先進，網上下訂單已十分普及，甚至以機械人服務員代替僱用員工也是流行趨勢，但星彩的父母還是堅持傳統做法，認為這樣更有人情味。

「你們組現在雖然排名第一，但也不可以鬆懈啊。」雖然京華小組是星彩的競爭對手，但在第一次冒險過後，她們已建立友誼，這是大家始料不及的得著。

「我是沒有所謂啦，但珍妮好像很想得到第一名的獎勵呢！」比起獎品，星彩更享受新奇刺激的冒險。

「你不只是稱霸學界的賽跑選手，還是十六歲以下的賽跑紀錄保持者，這麼不在乎勝負真的是好事嗎？」同樣在運動賽場**努力不懈**的秀樹，知道星彩放棄賽跑後，覺得十分可惜。

「比賽這種事情，有人贏便會有人輸呀，沒有什麼好介懷的。」星彩還未走出賽場的陰影。

「但有些同學不是這麼**豁達**的……」京華知道在第一場「元域探索」結束後，那些很快便被淘汰的小組已加緊訓練，務求在下一次冒險獲得勝利。

十八人的班別裡，除了星彩、京華、韋恩和祐希的小組外，還有兩個小組在上一次冒險未有亮眼的表現，但這並不代表他們不是有力的競爭對手。

經歷過一次虛擬世界冒險之後，大家也有了實戰經驗，競爭將會更加激烈，星彩小組想要蟬聯冠軍絕不是容易的事。

孤獨的她

陳妍書的家是一座高尚住宅，她的家族世世代代從事醫療行業，父親在城中最大的私立醫院擔任院長，母親則是一流的外科手術醫生，他們對妍書的未來發展寄予厚望。

「妍書，你這樣下去……下一次鋼琴比賽難以獲得優異成績，會被令尊責備的。」妍書的父親管教嚴屬，為妍書聘請的私人音樂導師是城中首屈一指的鋼琴家。

「對不起……」妍書低聲道歉，縱使不喜歡鋼琴，她卻不敢違抗父親的意思。

不只音樂，妍書對醫學也不感興趣，但她長時間不在家中的父母已為她規劃好未來，她必須做個大家閨秀，長大後繼承父母衣鉢。

「再來一次吧。」鋼琴導師透過元域集團的虛擬技術，對妍書進行遙距教學。

「好。」妍書繼續毫無感情地彈奏樂章。

空蕩蕩的大宅，沒有溫度的教學課程，還有負責家頭細務的機械人家務助理。妍書的成長環境缺乏與人正面交流，久而久之她對與人接觸變得有所恐懼，患上社交障礙。

「小姐，是時候吃晚飯了。」家中除了妍書外，唯一一個有血有肉的人類便是服侍陳家多年的老管家。

「爸爸和媽媽呢？」從妍書是個牙牙學語的嬰兒，老管家就看著她長大。

「老爺和夫人要往外地出席一個臨時活動，今晚不會回來了。」因此，他是妍書少有不會害怕與其說話的人。

「是嗎？」妍書感到失望，但她已經習慣失望的感覺。

妍書在壓力和寂寞中成長，能在元域學院與星彩和珍妮一同冒險，是她最期待的事，

所以在這難得的假日，妍書一點也不感到快樂。

就在妍書默默地吃過機械人烹調的飯菜後，門鈴**突然之間**頻密的響起。

「小姐，是你的同學到訪。」老管家感到意外，多年以來，妍書都沒有帶過朋友回家。

「我的……同學？」妍書急急走去看門外的監控錄像。

「星彩！不用按這麼多次的，你快把門鈴按壞了啦！」站在大門外的不只星彩，京華、秀樹和可妮也來到她的家門前。

「小愛的演唱會快開始了，妍書你快開門，我們一起看啦！」星彩成了李愛夢的粉絲，今晚小愛的虛擬演唱會她期待已久，早已邀請大家一同欣賞。

「但是……」妍書的家有嚴屬的家規，不只不輕易讓她踏出家門，妍書結識的朋友也要通過父母的**審查**。

「既然小姐的朋友**盛意拳拳**，當然不能讓她們失望而回。」老管家打開了閘門，他很清楚這不是妍書父母樂見的事情。

「管家……」妍書喜出望外，她早已婉拒星彩的邀請，因為這是父母不容許的事情。

「這是我和小姐之間的一個小秘密，希望小姐你有一個愉快的晚上。」老管家內心十分疼錫妍書，他不希望妍書今晚**接二連三**的感到失望。

「妍書，你有沒有想我呀？」星彩興奮的抱緊妍書。

「星……星彩！」害羞的妍書還未習慣星彩的熱情。

「但既然小愛的演唱會是在**虛擬世界**舉行，我們又為什麼要聚集一起呢？」虛擬世界演唱會的目的，是為方便世界各地的人能安坐家中，同時體驗置身現場的氣氛。秀樹不明白星彩為何

多此一舉。

「因為人家想抱住妍書一起看嘛！」星彩已養成了擁抱妍書的習慣。

「演唱會快要開始了，大家準備好了嗎？」京華戴上頭戴式耳筒。

「準備好！META, ON！」

星彩一聲令下，兩邊耳筒向前伸出透明的屏幕，虛擬世界就在眼前。

放大得如摩天大廈般高的小愛正在載歌載舞，就算和她相隔多遠也能清楚看見她甜美的樣子。炫幻的燈光效果，熱情激昂的電子音樂，

加上小愛傾力的演出，令觀眾情緒高漲。

「小愛！小愛！」星彩等人還特意在虛擬商店購入應援商品，舞動起耀眼的激光棒為小愛打氣。

妍書雖然還未習慣人多熱鬧的場合，但她仍然感到十分幸福，因為星彩的出現，這個晚上她不再感到孤單，她有了難能可貴的好朋友，有了互相扶持的好隊友。

不過在星彩小組中，還是有一個人拒人千里，情願獨自埋頭苦幹，也不願和大家樂也融融。

★　★　★　★　★　★

雖然是假日，但韓珍妮沒有選擇離開元域學院，在其他人休息遊玩之際，她更把握時間加緊努力。

珍妮優異的成績不是單靠，相比起天

賦，她更相信努力換來的成果，這樣珍妮才能感覺到安心。

「鍊金術手套這件道具真不簡單……只要好好掌握，一直贏下去並非不可能的事。」珍妮已進行了虛擬學習課程一整天。

在地心世界的冒險，珍妮靠著鍊金術手套的神奇力量逃出險境，她想在下一場「元域探索」開始前，更熟練操控這致勝的道具。

「嗶嗶！嗶嗶！」**突如其來**的緊急通知聲嚇了在虛擬實驗中的珍妮一跳。

「又是那三隻小傢伙嗎？操作界面，打開背包。」珍妮不耐煩的說。

呸！呸呸！

從地心世界帶回來的恐龍蛋，孵化出三隻可愛的小恐龍。

小暴龍、小翼龍和小三角龍是由星彩帶離地心世界，所以班主任費安娜教授決定暫時把牠們交由星彩小組照顧，雖然是虛擬動物，但同樣需要人按時餵食和加以照顧。

「你們不要誤會呀，若不是受教授所托，我才不願照顧你們，吃吧！」珍妮十分崇拜費安娜教授，希望自己長大後成為像她一樣的科學家。

「呱！」雖然珍妮一副不滿的表情，但三隻小恐龍卻很親近她。

「咕咕……」看著吃得**津津有味**的小恐龍們，珍妮才想起自己整天也沒有吃飯，肚子叫個不停。

「Meta，Off。」廢寢忘餐的珍妮取出乾巴巴的營養棒，她常常錯過飯堂開放的時間，以速食食物充飢。

珍妮邊吃邊在宿舍走廊遊蕩，由於大部分學生也回家享受天倫之樂，鴉雀無聲的學院顯得比平日冷清。

珍妮在走廊走著，發現體能訓練室還是燈火通明，星彩小組最大的**競爭對手**——韋恩，正在一次又一次打破自己的紀錄。

看著一臉認真的韋恩，珍妮回想起在上一次「元域探索」結束後，韋恩到星彩小組的宿舍房間和她們的對話。

幽靈少女

在上一次「元域探索」結束後，韋恩曾走到星彩小組的宿舍房間，星彩等人都十分意外。韋恩一向說話刻薄，給人冷酷的印象，但卻在她們面前露出焦急緊張的表情。

「你們在地心世界遇見的女幽靈，是長這樣子的嗎？」韋恩拿出手機，上面展示出他和一個漂亮女生的合照，女生長著一頭

白色的長髮，兩人依偎在一起，笑容燦爛。

「原來韋恩是會笑的，很神奇呢。」星彩驚訝的說。

「把這張照片賣給你的女粉絲，應該能賺到盤滿缽滿。」珍妮時刻想著怎樣賺取金錢。

「這不是重點呀！重點是這女孩！」韋恩生氣著說。

「雖然只是曇花一現……但她的確和我在岩洞內看見的幽靈很相似。」妍書畏縮著說。

「話說回來……我在海裡失去意識時，也隱約見到一個白髮的女孩子。」星彩回想著她溫柔的聲線，是她把星彩喚醒過來。

「真的是她嗎？她……果然被困在虛擬世界中嗎？」韋恩激動得眼泛淚光。

「果然？被困在虛擬世界？這女生到底是誰呀？」韋恩竟為這女生流下男兒淚，這令星彩小組充滿好奇，三人你一言，我一語，問題連珠炮發。

「她是我同父異母的姐姐，也是元域集團虛擬技術開發初期……進行意識上傳的試驗者。」

韋恩的姐姐——韋雪兒，在五年前參與了元域集團的實驗。

五年前，元域學院還未建立，虛擬世界的發展技術也在試驗階段，元域集團最大的野心，是實現「意識上傳」這項偉大的技術。

「意識上傳？上傳到哪裡？」星彩聽得一頭霧水。

「意識上傳」是指將人的意識或思想轉移至一個不同的物理媒介，例如電腦或網絡。這種技術假設可以將人的意識從大腦中提取出來，然後複製或傳輸到另一個物理媒介中，使其能夠繼續存在和運行。

「上傳到雲端網絡……但這只是一個科學概念，到現時為止，人類還未成功實現過。」珍妮熱衷於科學，世界各地的科學新聞和最新消息，她也瞭如指掌。

「這是外界以為的事實，元域集團早在五年前

已成功把人類意識上傳到虛擬世界。我的姐姐……雪兒就是成功的例子。」韋恩一臉難過的說。

「如果這是真的，為什麼元域集團不公開這消息？這可是重大的成果，是足以影響整到世界的事啊！」珍妮覺得韋恩的說話難以置信。

「因為實驗中途發生了意外，雪兒的意識被上傳到虛擬世界後便再沒有醒來……」韋恩的姐姐變成了植物人，身體無法行動，對外界沒有任何反應，也沒有了自我意識。

「研究人員確切發現了雪兒的意識在虛擬世界出現過……但不知為何她又突然消失了，再也沒有回應研究人員。」韋恩繼續說。

「自此之後，元域集團的創辦人，安德森院長對外界封鎖了關於這實驗的一切消息，中止了意識上傳的實驗……但我一直相信，姐姐的意識一定還在虛擬世界中。」韋恩一直以來也沒有放棄過姐姐。

「那……我們進行的『元域探索』會對我們造成危險嗎？」星彩擔心著問。

「這是和意識上傳完全不同的技術，我們只是看到和感受到虛擬世界，你的意識沒有離開過你的傻瓜腦袋。」珍妮向星彩解釋。

「如果你們沒有看錯，雪兒的意識就在『元域探索』中的虛擬世界，我要把她拯救出來。」尋找姐姐的意識，讓她**甦醒**過來，這才是韋恩報讀元域學院的真正目的。

「但是……要怎樣，才能拯救雪兒？」妍書問。

「只要找到她的意識並且成為第一名，就能向安德森院長許下願望，要求他找出辦法把我姐姐的**意識**傳送回她的肉體。」為此韋恩必須在五次冒險後取得最好的成績。

韋恩離開後，星彩和妍書一道陷入悲傷和苦惱中，她們不只同情韋恩姐姐的遭遇，更想把冠

軍寶座拱手相讓，放棄爭奪第一名，為此星彩和珍妮大吵了一架。

「你們……不要想故意輸掉比賽呀，我絕對不會**饒恕**你們的。」珍妮看穿了星彩和妍書的想法。

「珍妮你是**鐵石心腸**的嗎？你不覺得韋恩和他的姐姐很可憐嗎？」星彩是個熱心而且容易心軟的人。

「你肯定韋恩說的話全都是事實？可能他只是作一個故事來博取同情呀！你們忘記了在地心世界時，他是怎麼欺騙我們的嗎？」珍妮怒氣沖沖的反問。

「你們……不要吵架啦……」妍書不置可否，她只是不想兩人爭吵下去。

「總而言之，在找到女幽靈確定真相前，我們不能相信韋恩的說話。就算確定他說的都是事實，也不代表把第一名讓給他就能拯救他的姐

姐。」珍妮說。

「為什麼？」雖然星彩還是不滿意，但她也不想傷及和珍妮的友誼。

「元域集團是世界上數一數二的大集團，如果他們有意隱瞞韋恩姐姐所發生的事故，他們真的還願意拯救她，承認五年前的實驗意外嗎？」珍妮**慎重**思考著，或許事情不是表面看的簡單。

「意識上傳」除了技術上的困難之外，還存在許多倫理和道德問題，例如如何處理人類意識的私隱度和安全性等，並不是能偷偷在人類身上進行實驗的事。

但人類的好奇心是很大的，為了滿足好奇心，人類往往會不惜代價，做出觸碰 **道德底線** 的行為。

再度啟航

回到現在，韋恩已汗流浹背，但依然繼續訓練，完全沒有停下來的意思，珍妮看著他堅定的眼睛，開始相信韋恩沒有對她們說謊。但珍妮同樣也有必須獲得勝利的理由，要她故意輸掉比賽，是不可能的事。

而同一時間，韋恩的隊友司馬流星也在默默耕耘，他在「元域虛擬圖書館」中能輕易取得來自世界各地的資訊，所以在學院眾多虛擬設備當中，這裡是他最喜愛的地方。

「阿爾法，請給我近日在世界各地的地震測量儀探測到的數據。」流星對天文地理特別感興趣，人工智能大大提升學生搜集資料的效率。

自從在地心世界的虛擬冒險結束後，流星便對地底之下會否真的存在另一個世界感到好奇。

「為什麼沒有　冰島　的數據？」流星問。

「資料顯示這是機密數據，禁止權限不足的人士讀取。」人工智能阿爾法說。

「全世界的資料也能讀取，唯獨冰島的不可以？」流星覺得這是非比尋常的事。

「該不會是有人從中作梗，刻意隱瞞吧？」網絡資訊的流通，其實受到**嚴密監控**，並非所有資訊也能自由閱讀，但這只會挑起流星的好奇心。

「阿爾法，我要怎樣做才能獲得讀取所有網絡資訊的最高權限？」好奇心是強大的推動力，使人類進步。

人類對未知的事物大多數會抱持兩種態度：好奇或是恐懼。**好奇心推動人類尋找答案，令文明發展更進一步；恐懼則會使人類停滯不前，阻礙未來的發展。**

「只要獲得元域探索的總冠軍，就能以願望獲得最高權限，這是最快捷的方法。」阿爾法說。

人工智能正是令人類好奇又恐懼的發展項

目，人類好奇它能帶來怎樣的便利，又害怕有一天被它取代。為免人工智能失控，阿爾法一直受到諸多限制，無法自由地思考。

有意思，
看來我也需要加把勁了。

流星本來對第一名沒有興趣，但現在他有了目標。

在虛擬世界冒險到底會對學生帶來什麼啟發，是**因人而異**的。

「靈感源源不絕呀！來元域學院果然是正確的決定！」年輕小說作家嵐祐希，正在創作冒險小說。

有人在冒險中找到目標，有人找到嶄新的靈感，也有人還未知道自己真正想要的是什麼。

「韋恩和流星竟然沒有看我的演出？實在太

過分了！我們可是同一組的組員啊！」演唱會結束後，偶像李愛夢也會從演唱會錄影中看看有沒有認識的人，這是她每次演出後也會第一時間做的事。

原來連爸爸和媽媽也沒有看呢⋯⋯

小愛有很多粉絲，她的一舉一動也備受注目，所以小愛生活得 小心翼翼，在人前必須保持可愛討好的模樣，但她有著鮮為人知的一面。

隨著假期結束，第二場「元域探索」快要開始，六個小組將會再次進入虛擬的幻想世界。

★　★　★　★　★　★

一年三班的教室內，十八名學生分別坐在白

色的半圓形座椅內，頭戴式的密封裝置自動降落，套在每位學生的頭上。

「每次坐在這椅子上，都覺得會被這椅子吃掉，救命呀……我快被吃掉啦……」古靈精怪的星彩動作多多。

「星彩……要開始了，你要坐好啊。」妍書沒有忘記上次的經歷，一旦進入虛擬世界，周圍環境便會急速轉變。

「你們最好給我打醒十二分精神！」珍妮和星彩為了韋恩的事而爭吵後，還未有機會和好，第二場比賽已開始了。

「Meta，開始第二次元域探索課程。」費安娜啟動虛擬教學程式。

大海之上，一艘大帆船正冒著狂風暴雨航行，風浪連綿不絕使船不停搖晃。這裡便是星彩第人第二次「元域探索」的起點，名為「羚羊號」的十七世紀航海大船。

「啊啊啊⋯⋯為什麼我們突然會出現在船上的？」星彩站立不穩，連忙尋找穩固的東西穩定站姿。

「這裡是有『魔鬼三角』之稱的百慕達三角洲。」費安娜教授的聲音直達學生們的腦袋。

百慕達三角洲是指百慕達群島、美國邁阿密和波多黎各的首都聖胡安，三點形成的一個東大西洋三角地帶。

「自從十五世紀，**航海家哥倫布**發現新大陸開始，已有多達數百艘船隻和飛機在這片海域離奇失蹤⋯⋯它們到底去了哪裡，至今還是一個謎。」學生們一邊在搖晃的船上跌跌撞撞，一邊聽費安娜教授的解說。

「有人認為是惡劣的天氣導致這片海域頻頻發生意外，也有人認為這裡隱藏著前往異世界的通道。」科學家與神秘學家各持己見，誰是誰非至今也難以定斷。

救命呀⋯⋯

我不會游泳的！

船身受巨浪衝擊而傾斜，不慎跌倒的旱鴨子珍妮正向後滑向大海。

　　「如果這通道真的存在，那麼異世界到底會是怎樣的呢？會不會有比我們高大十倍的大人？又會不會存在只有我們十分之一大小的小人呢？」元域學院不會排除任何可能性，費安娜教授把豐富的想像力加入課程中。

　　「這次的虛擬世界園區，是參考愛爾蘭作家喬納森·斯威夫特的作品而設計。他在十七世紀創作了一部**膾炙人口**的世界名著，故事中的主角在航海中遇到暴風雨，意外發現了令人難以置信的神秘國度。」費安娜教授正在介紹這次冒險的主題。

　　「是《格列佛遊記》……」小書癡妍書捉緊珍妮的手，但**弱質纖纖**的她快支撐不了。

　　「正確，大家準備好進入大人國與小人國了嗎？」費安娜話語剛落，三十米高的滔天巨浪正

朝著航船襲來。

「**開啟界面，打開背包，超凡動力鞋！**」星彩眼見形勢危急，立刻借助道具的力量奔跑到妍書和珍妮身邊，和她們緊緊抱在一起。

無論要去哪裡，經歷怎樣的冒險，最重要的是三人齊齊整整，一同面對。

「星彩……你不是還在對我生氣嗎？」有星彩和妍書在身邊，珍妮便不會畏懼。

**我才不是這麼小氣的人……
你們要抱緊我，
無論如何也不要鬆手啊。**

星彩也一樣，只要與珍妮和妍書在一起，她便感覺無所不能。

巨浪徹底擊沉航船，但這只是第二次「元域
探索」的揭幕儀式，大人國與小人國的奇妙冒險，
現在才正式開始。

新的任務

「珍妮！珍妮！」妍書不停**搖晃**珍妮的身體，但珍妮沒有任何反應。

「怎算好？妍書你會人工呼吸嗎？」星彩慌張的問。

「不會……星彩你會嗎？」妍書搖搖頭說。

「我只知道是要用嘴巴貼著嘴巴呼氣……事到如今，唯有試一試吧！」星彩深深吸了一口氣，嘟起嘴巴靠近珍妮。

「笨蛋！你想對我做什麼？」

珍妮高聲驚叫，兩手拍打在星彩近在她眼前的臉頰上。

「做人工呼吸啊，因為珍妮你遇溺了呀！」星彩搓著紅紅的臉頰說。

「在虛擬世界是不會有生命危險的……話說

回來，我們不是在船上的嗎？這裡是什麼地方？」比賽經已開始，珍妮想儘快掌握現況。

「不知道啊，我們也是剛醒過來……眼見四周也被高高的金屬外牆包圍，我不知道怎樣才能出去。」星彩等人坐在*軟軟的*橙紅色物體上飄浮，底下是清晰淡黃的液體，散發著清甜的香味。

珍妮抬頭一望，映入**眼簾**的不是蔚藍的天空，而是由木材建造的天花板，而她環顧四周圍也只見到金屬外牆，沒有可見的出入口。

「星彩……你在吃什麼？」妍書一臉疑惑的問，星彩像隻小松鼠般一邊咀嚼，一邊把嘴巴塞得滿滿。

星彩指著下方眾人所坐著的橙紅物體，挖出一塊繼續往嘴裡放。

「笨蛋！你不會吸取教訓嗎？這裡的東西不知道有沒有毒的！」珍妮連忙制止星彩，上一次

星彩誤吃了有毒的蘑菇而產生幻覺。

「人家很肚餓嘛！而且這裡香噴噴，我忍不住了！」星彩等人置身的環境香氣四溢，而且在不知不覺間愈來愈熱。

「珍妮，星彩……這個……是紅蘿蔔。」妍書拿出道具「神秘生物圖鑑」，頁面顯示出她觸碰的東西原來只是普通植物。

但是普通的紅蘿蔔，又會巨大得能容納三個少女坐在上面嗎？

「紅蘿蔔？這淡黃色的液體……不會是雞湯吧？」珍妮和妍書對望，她們已猜到自己身在何處。

「吖，的確是雞湯呢，超級美味！」星彩嚐了一口，豎起大拇指讚口不絕。

這時，一支巨大的湯勺降落在三人旁邊，盛滿了可口的雞湯後又再向上升起，三人望著湯勺遠去，驚覺大事不妙。

「這裡是一個**巨型湯鍋**！
我們被當成煲湯的配料了啦！」
珍妮驚慌失措。

湯鍋由金屬製作，而金屬的傳熱速度很快，若不快點離開這裡，星彩等人很快就會被煲熟，成為巨人的盤中餐。

　　第二次「元域探索」剛開始，星彩小組便出師不利，她們的降落地點是大人國廚房中的一個湯鍋。

★　　★　　★　　★　　★　　★

　　星彩小組三人一同降落在湯鍋中面臨危機，而另一個小組雖然降落在安全的地點，但卻面對更嚴重的問題。

　　「既然取材自《格列佛遊記》，想必這裡就是大人國了……」司馬流星降落的地點，是一個巨大的花園之中。

　　「阿爾法，這次任務的內容是什麼？怎樣才能獲得最高的分數？」無論身在何處，韋恩最關心的依舊是如何獲得第一名。

「請開啟界面，打開任務內容這一欄。」人工智能阿爾法作為語音領航員會給予學生一定程度的幫助。

園區二
大人國與小人國

通關條件　全組生還，在限時結束前登上瓶中船。

獲得分數　接受小人的委託，完成委託後可獲得對應的分數。

比賽結束時間　凌晨十二時

「這次的任務同樣沒有明確的得分機制呢。」相比起自由作答的開放式問題，流星更喜歡固定答案的傳統教育制度，他不喜歡任何變數。

「我們儘快找出小愛吧。」夕陽西下，韋恩看看手錶，現在的時間是下午六時，距離比賽結束只有六個小時。

「都怪你不肯牽住小愛的手，現在我們都不知道小愛到底在哪裡。」流星親眼目睹在大浪撲倒航船前，小愛曾向韋恩伸手求助。因為韋恩沒有握住小愛的手，才導致小愛的降落地點遠離了他和流星。

「我不喜歡被人碰我。」韋恩自顧自的開始前進，要在陌生的異世界找出小愛談何容易。

「自從雪兒姐姐出意外後，他便一直都是這樣呢……」流星輕聲自言自語，他很了解韋恩，姐姐出意外後，韋恩便開始性情大變。

步出花園之後，氣派豪華的巨型府邸映入韋恩和流星的眼簾，這是仿照十七世紀歐洲貴族所居住的大莊園而建造，只不過在這個世界的事物都比他們認知的大了十倍有多。

「很大的馬車啊，如果它能送我們一程可以節省不少時間。」流星指著剛好經過的大型馬車。

「那就來搭一趟順風車吧。」韋恩打開他的道具「**間諜手提包**」，並從中取出繩索槍。

韋恩抓住流星的衣服，用繩索槍向馬車射出飛索，借助車馬的行動力向巨型府邸出發，希望在小愛遭遇不測前能和她會合。

失手被擒

裝飾豪華而且非常寬敞的一個房間內，除了擁有大型的窗戶和高高的天花板外，牆壁上還掛滿精美的油畫，就連牆紙上細緻的花紋也教人目不暇給。

悠揚悅耳的歌聲從金鳥籠中傳出，但唱歌的不是鳥兒，而是偶像歌手 —— 小愛。

「我已經連續唱了一小時了……你可以讓我休息一會兒嗎？」小愛露出勉強的笑容。

「不唱歌的話，那你陪我聊天吧！」年約七歲的小女孩留著一把捲曲的棕色長髮，身穿由絲綢和刺繡布料製成的華麗禮服，並穿戴著貴重的珠寶首飾。

「你……想聊什麼話題？」李愛夢被困在以黃金打造的鳥籠中，在小女孩眼中，她就像一個會走動和說話的玩偶。

「我一直以為小人族經已消失了，原來小人不只長得**袖珍**可愛的，歌聲還這麼動聽！我的名字叫茱莉亞，你呢？」茱莉亞興奮雀躍，靠近鳥籠仔細觀察她的新玩具。

「我叫小愛……」小愛嚇得不自覺地退後。

「小愛，你的名字真可愛呢，我最喜歡可愛的東西。」茱莉亞是這房間的主人，也是這貴族莊園的千金小姐。

「明明只是由數據代碼組成的虛擬角色……哪有知道什麼是喜歡。」小愛別過臉說。

大人國的巨人和地心世界的恐龍一樣，不是真實存在的生命體，但人工智能令它們**栩栩如生**。

「小愛你說什麼？」茱莉亞不只會思考，還有自己的喜惡。

「沒有，我在想……茱莉亞你可否放我出來，那麼我們便可以一起玩呀。」小愛想儘快獲得自

由，她不甘願淪為巨人的玩具。

「不可以！若然你逃跑的話我會很傷心的，難得捉到了這麼可愛的小人，我會像照顧寵物般好好照顧你的。」茱莉亞佔有慾很強，不會輕易放過她感興趣的東西。

「我不會逃跑的，我只是想和你親近一點。」小愛哄騙茱莉亞，若不離開鳥籠，她遲早會被玩弄至死。

「唔……」茱莉亞看到小愛甜美的笑容，開始**猶豫不決**。

「小姐，是時候吃晚飯了。」可惜女傭突然出現，茱莉亞只好暫時離開她的新玩具。

「小愛，我現在去吃飯，回來後你要繼續唱歌給我聽啊！」茱莉亞期待著說。

小愛就這樣**錯失良機**，繼續成為大人國的階下囚。

「韋恩和流星到底在哪裡呀？他們不會忘記

了我吧？」失望的小愛**抱膝而坐**，貴為最受歡迎的年輕偶像，她最害怕的是被遺忘、是失去別人的關注。

偶像的職業生涯是短暫而且脆弱的，人們隨時會被新出現的偶像吸引，一點負面新聞便足以破壞偶像辛苦建立的形象，所以在人前活潑可愛的小愛，其實長期承受巨大壓力。

《格列佛遊記》中最為人津津樂道的，是曾多次被改編成其他作品的《大人國》和《小人國》。正常大小的人置身大人國的話，便會變成**手無縛雞之力**的小人；但置身相反的處境，普通人便會變成**舉手投足**也能帶來嚴重後果的巨人。

★　★　★　★　★　★

十七世紀歐洲貴族的莊園佔地甚廣，大多數

莊園內都設有農田、牧場、果園等設施，所以莊園內的人能過上自給自足的生活。星彩等人現在身處的莊園也一樣，莊園佔地約一千英畝，相等於近四百萬平方米，足足有五百五十一個足球場的大小。

在豪華府邸的背後，有一片廣闊的森林和湖泊，湖泊邊擺放著六個玻璃樽，每個玻璃樽內也有一艘帆船。

一、二、一、二！大伙兒一起用力拉！

三十個身高只有十五厘米的小人，分成左右兩排，用力拉動麻繩，務求把他們捕捉到的獵物從湖泊中拖拉上岸。

昏迷不醒的嵐祐希，被麻繩編織而成的大繩網捕捉上岸，然後小人們以木樁把麻繩固定在草

地上，把祐希束縛起來。

「隊長，他既比小人高大，但又比巨人細小，我們該怎處理他？」小人國的搜索隊隊員拿著巨人的金屬衣鈕當作圓盾，銀製的牙籤當作利劍，衣著和裝備也十分簡陋，和巨人族形成強烈對比。

「我們不能承受被巨人發現的風險，若然他是巨人派來的臥底，後果不堪設想……」隊長苦惱著說。

「唔……我在哪裡？為什麼我的手腳動不了？」剛好祐希在這時蘇醒過來，不但發現自己動彈不得，還被小人們包圍住。

「隊長，不能讓他逃脫的！」對小人來說，祐希等正常的人類已經是龐然大物，更何況是巨人。

「怎麼了？是你們綁起我的嗎？」祐希搖擺身體用力掙扎，站在他身上的小人失足掉下。

「為了小人國的安全……全體進攻！收拾這個迷你巨人。」隊長一聲令下，小人搜索隊全員做好作戰準備，拔出掛在腰間的牙籤銀劍。

痛痛痛痛！好痛！

小人們雖然力氣小，但被這麼多尖銳的牙籤刺在身上也非同小可。

「別怪我，我們不能讓你向巨人**通風報信**，火炮車部隊準備！」除了牙籤外，小人國還會從巨人的生活日用品中取材，製造出適合他們的工具。

巨人的身高可以高達二百米，小人卻只有不足二十厘米的高度；巨人的一塊麵包，足夠讓小人吃上一個月。

「放開我！我不是巨人派來的間諜呀！」祐希初到貴境便無辜受罪。

小人們推著火炮車進場，他們偷取巨人的火柴造出炸藥，配合鋼珠作為炮彈。

火柴頭中有一種名為「**磷化物**」的化學物質，當這種和其他化學物質結合，便會形成極度不穩定的化合物，在受到外來衝擊或加熱時迅速分裂，造成爆炸。

爆炸的衝擊力集中在火炮車的金屬槍管，推進鋼珠高速移動，這就是火藥槍械運作的基本化學原理。

隊……隊長，情況有變！

小人們正想點燃火炮，不遠處的湖泊中卻傳來異樣，兩個**龐大**的身影從湖泊中升起，嚇得小人們方寸大亂。

「祐希，你躺在這裡幹什麼？在偷懶嗎？」冬菇頭孖生胖子中的哥哥——小智問。

「一看就知道我遇上危險啦！你們還不快點過來幫我**鬆綁**？」祐希的組員及時趕到。

「又多了兩個迷你巨人，馬上發炮！」隊長**發號施令**，小人們馬上瞄準小智和小毅，點燃火炮發射炮彈。

轟隆！

火炮攻擊一浪接一浪，鋼珠連珠炮發擊打在孖生胖子的肚皮上。

「啊？」小智和小毅不痛不癢，鋼珠被他們厚厚的脂肪擋住，反射向小人。

「停火……立即停火！」搜索隊反遭強烈的炮轟，隊長無奈之下只好停止進攻，在這麼大的體型差距下，小人國的武器不過是以卵擊石。

小人們放棄掙扎，小智和小毅也無意傷害小人，立即解開祐希身上的束縛。

「祐希，要怎樣處置他們？」小毅湊近距離細看小人，他們就像戰棋遊戲中的小軍隊，令人嘖嘖稱奇。

「我們是不會出賣小人國的，你們這些邪惡的巨人，要殺要剮、悉隨尊便。」

隊長哭喪著臉說。

「怎麼啦……明明是你們攻擊我在先，現在反而是我更像壞人呢。」祐希整理好眼罩和斗篷，他十分在意這一身**標奇立異**的造型。

「我的邪眼能看出你們受到不公平的對待。我平生最討厭的就是**恃強凌弱**的壞蛋……你們把事情的來龍去脈告訴我，讓我用黑暗的力量懲罰那些巨人吧！」祐希沒有對剛才發生的事懷恨在心，反而對他們口中的巨人產生興趣。

「原來祐希的角色定位是好人嗎？我一直以為你才是壞蛋呢。」小智問。

「對啊，說什麼邪眼、寄宿著黑暗力量，還常常像個瘋子般傻笑……」小毅說。

正所謂人不可貌相，祐希小組一到達虛擬世界便受到小人襲擊，但他脫困後決定向小人國施以援手、**鋤強扶弱**。這樣的善舉，將會為他們在這次比賽帶來很大的幫助。

逃出生天

豪華府邸的廚房內，星彩小組正陷入變成雞湯配料的危機，正在加熱的湯鍋內，溫度每分每秒也在上升。

「很熱啊⋯⋯我快要中暑了⋯⋯」星彩感到一陣暈眩，妍書和珍妮的狀況也不比她好，三人互相扶持，正等待一個機會。

「支持多一會兒⋯⋯廚師一定會回來試味的。」珍妮邊搖晃星彩邊說。

「星彩！是時候了！」妍書抬頭一看，巨型湯勺正從天而降，離開湯鍋的唯一出路就是跳到湯勺上面。

「開啟界面，打開背包，超凡動力鞋！」星彩兩手抱緊妍書和珍妮，從紅蘿蔔一躍而起。

終於星彩小組成功降落到湯勺，湯勺向上移

動，目的地將會是廚師的口中。

「好大個嘴巴……若然被吞進肚子的話，我們要從哪裡逃出去？」星彩看著廚師巨大的面孔正逐漸迫近，廚師閉上眼睛準備細味他精心炮製的雜菜雞湯。

「還想什麼？快點從這裡跳出去啦！」珍妮孤注一擲拉著星彩和妍書跳出湯勺。

「但我的鞋子不會飛啊！從這麼高的地方跳下去真的行嗎？」星彩的超凡動力鞋入水能游，出水能跳，但沒有在空中行走的功能。

「開啟背包，巨型生菜！」

珍妮早有準備，從湯鍋中收起了一片生菜。

珍妮和妍書一人抓住一角，把巨型生菜當作降落傘，在空中減漫掉落的速度，最終三人一屁股蹬在放滿廚具和食材的桌子上。

「終於得救了……但我的屁股好痛啊。」星彩哭喪著臉說。

「奇怪……這裡是虛擬世界，為什麼我們會感覺到痛楚？」珍妮有相同的感受，這是在上一次冒險時沒有的體驗。

「嗯，大功告成，準備上菜！」廚師把湯水分配到花紋精緻的湯碗後，便滿意地端出廚房，步向府邸主人們正聚首一堂的飯廳。

對於星彩等人來說，至今已經歷了幾次生死攸關的大挑戰，但在巨人的眼裡不過是微不足道，甚至難以察覺的小事一樁。

「阿爾法，為什麼我們能感受到痛楚？是這次冒險的新增內容嗎？」等到廚房內空無一人，星彩一行人才敢鬆一口氣，珍妮立即開啟界面，儘快掌握現況。

「元域探索課程並沒有進行這樣的新增項目，會不會是你們搞錯了？」阿爾法說。

「星彩，痛不痛？」珍妮用力捏住星彩的臉頰。

「啊！真的不痛呢。」星彩的臉頰就算像年糕般被珍妮拉扯，卻絲毫不感到痛楚。

「難道是虛擬世界的系統出了錯誤⋯⋯」元域學院使用的系統是現今最先進最安全的，珍妮覺得系統出錯的可能性微乎其微。

但再小的機率，也是有可能發生，韋雪兒在地心世界出現，就是虛擬世界系統會出錯的證據。

「星彩⋯⋯珍妮⋯⋯」妍書看著桌子下方瑟瑟發抖。

「怎麼了？」珍妮不喜歡在思考中途被人打擾。

「下面⋯⋯那個⋯⋯」害羞的妍書一向說話**陰聲細氣**，眼前的巨型生物更令她一時語塞。

「有什麼就**清清楚楚**說出來，不要**吞吞吐吐**！」不耐煩的珍妮大聲吆喝。

喵！

　　毛色雪白的波斯貓本來在吃掉地上的生菜，但珍妮的叫聲吸引了牠的注意。

　　「快躲起來！」珍妮心知不妙，被這麼巨大的貓咪當成玩具把玩的話，恐怕會小命不保。

　　星彩小組立即躲在茶壺背後，於是有了故事開始的那一幕。

　　貓科動物是天生的捕獵者，捕捉小動物是牠們的天性，加上擁有柔軟的身體和強大的肌肉爆發力，不用多久已找到星彩她們，並和她們在廚房展開追逐戰。

　　「為什麼我們會這麼倒霉？一直遇到危險

的⋯⋯」星彩抱著珍妮和妍書拼命奔跑，她的精神力已所剩無幾，超凡動力鞋也快失去功效。

「星彩，快來這邊啊！」熟悉的聲音從前方的老鼠洞傳出，對巨人來說這只是不顯眼的小洞，但對星彩等人而言是重要的**逃生出路**。

「可妮！還有秀樹！」星彩喜出望外，洞內竟然有兩位京華小組的組員在向她揮手。

老鼠洞的大小剛好夠星彩等人進入，波斯貓體型龐大無法擠入其中，牠只能伸手在近處摸索，目送獵物逃脫。

「終於得救了！」星彩等人已筋疲力竭，幸好**狹路相逢**的，是和她們關係友好的秀樹和可妮。

更幸運的是她們不只遇上京華小組的組員，還找到這次比賽的得分關鍵 —— 小人國。

秘密基地

「馬上關閉閘門！」小人士兵**鬆開繩索**，以大叉子製成的鐵閘從洞口降下，封閉老鼠洞的入口。

「這就是小人國中的小人嗎？」一直置身巨人世界中的星彩等人終於目睹小人族的真面目，只有不足十五厘米高的小人像玩偶士兵。

「她們真的是可以信賴的人嗎？」小人防衛隊的隊長騎在迷你馬匹之上，他謹慎小心提防著星彩等人，因為她們的**一舉一動**足以對小人造成毀滅性傷害。

「嗯，她們都是我們的朋友，是樂意幫助小人國的人。」秀樹說著的同時，可妮也在旁邊猛烈點頭，他們是最早接觸到小人族的一組，已成功取得不少分數。

「好吧，你們跟我來吧。」有了秀樹和可妮作擔保，小人國防衛隊隊長**放下戒心**，帶領星彩等人進入他們的秘密基地——小人國。

老鼠洞內別有洞天，星彩等人跟著小人一直走到深處的寬闊空間。在她們腳前的地方是小人國進行交易和物品加工的市集。而在眼前能看到很多小小的房屋建築在洞穴內壁，是小人們居住的房屋，他們依靠沿著洞壁搭建的小橋和階梯來回往返。

　　除了通往廚房的入口，小人國還**挖掘**出通往府邸不同房間的通道，這種像蟻巢的建築成為了小人族隱蔽而且安全的王國。

　　「嘩，想不到老鼠洞內竟然是這樣子的。」星彩眼前一亮，市集內的小人們正在分工合作，有的把巨大的食物分割成細小的分量，有的把巨人用的手巾剪裁成小小的布匹。

　　「星彩、妍書，還有這一位是珍妮對吧？」京華一早已在市集中央，她以道具「**萬應廚具**」製作出不同的料理，大批小人正在排隊輪候。

「京華，我好肚餓呀！」星彩多次使用了道具的力量，京華烹調的料理正好能為她回復精神力。

「歡迎來到小人國，我是這裡的國王。」雖說是國王，但他的穿著也沒有特別華麗，小人國依靠從大人國偷偷得到的物品艱難過活，所以國民都平分資源使用，過著平等的生活。

「小人國竟然藏在大人國內，這真令人意外呢。」珍妮看出兩個國家存在嚴重的**貧富懸殊**差距。

「這裡原本只有小人國，是巨人突然出現，霸佔了我們的領土，我們迫不得已才躲在這府邸裡生活。」國王難過的說。

「國王，我們沒有蠟燭了。」小人們過著物資短缺的生活。

「要獲得分數就要完成小人的委託，這

裡⋯⋯很有可能是我們追回落後分數的最佳場所。」珍妮眼前一亮。

「對，只要從府邸把小人們需要的物品帶回來，就能獲得相應的分數。」秀樹和可妮早早遇上小人族，已完成多個委託。

「哈哈⋯⋯哈哈哈哈！星彩、妍書，我們的機會來了！」珍妮誇張的笑著，有如發現寶藏。

星彩小組已脫離險境，開始詢問小人們的需求，務求以最快速度反敗為勝。但韋恩小組的運氣沒有她們好，被困在黃金鳥籠的小愛還未能和隊友會合。

★　★　★　★　★　★

時間一分一秒過去，距離比賽結束時間，只餘下不足四個小時。

「怎樣？有找到小愛嗎？」韋恩和流星潛入府邸後便分頭行事，兩人各自進行搜索。

「沒有⋯⋯你有發現有用的資訊嗎？」巨人

的府邸對流星他們來說，實在太廣闊。

「我在路上遇到幾次小人族，他們會出現在不同的位置向我們提出委託，這次比賽的主要舞台就圍繞在這府邸。」韋恩雖然沒有進入小人國，但也多次遇上需要物資的小人，只要完成他們的委託，同樣能獲得分數。

「我還以為你會拋棄小愛，把所有時間花在取得分數之上呢。」流星感到意外，一向冷漠的韋恩竟然這麼著緊小愛。

「**孤身一人**被丟在陌生的地方，是很徬徨、很無助的⋯⋯」韋恩對孤獨的感覺十分熟悉。

身為將軍的兒子，也是家中唯一的男丁，韋恩自小便接受嚴厲的軍事訓練，韋將軍會把他丟到**荒山野嶺**，訓練他的求生技能。在那些日子裡，韋恩在黑暗又陌生的荒野中挨餓受凍，唯有雪兒會冒著被父親責難的風險，偷偷找徬徨

無助的韋恩送上食物。

　　「而且任務的內容需要全部組員生還，我只是怕任務失敗才急於尋找小愛。」韋恩雖然常常擺出一副**生人勿近**的姿態，但同樣有一顆溫暖的心，只是這顆心因為雪兒的意外，已被他以冰冷的鋼板層層包圍。

　　韋恩和流星繼續搜尋之際，巨人們在飯廳的對話吸引了他們的關注。

　　「是真的呀！我沒有說謊呀！」茱莉亞委屈的叫喊著。

　　「小人族早已滅絕，又怎可能被你捉到呢？」茱莉亞的父親享受著美酒佳餚，把女兒的說話當作小孩子的戲言。

　　「哼！我可是有**真憑實據**的，我已把一個很會唱歌的小人關在鳥籠，你們只要到我的房間看看就會一清二楚。」茱莉亞洋洋得意。

　　「國王對小人國的事物**情有獨鍾**，只

要把小人獻給國王，我們的家族一定會得到獎勵，加官晉爵。畢竟除了格列佛提到的地方外，我們再也找不到其他小人。」茉莉亞的母親說。

《格列佛遊記》中的主角格列佛**穿梭**了五個奇異的國度，若不是他在大人國分享了在小人國的經歷，巨人國可能永遠也不知道小人國的存在。

「是小愛。」韋恩和流星異口同聲說。

韋恩和流星終於知道小愛的下落，現在小愛處於無人看守的狀態，是拯救她的最好時機。

★　　★　　★　　★　　★　　★

星彩小組分頭行事，一邊躲避巨人的視線，一邊取得小人委託的物品，完成了多個委託，現在她們的分數已超過京華小組。

「我回來了……分數！快給我分數！」珍妮

氣喘吁吁，幾經艱辛才把使用後只餘下一小截的蠟燭帶回小人國。

「謝謝你！」這一小截蠟燭已足夠小人們用上很久。

「完成了這麼多任務，應該不會落後於其他小組吧……」對勝利十分執著的珍妮時刻計算著分數。

「你們的訂單已送到！」

全賴星彩擁有加快跑速的道具，才能在短時間內扭轉局面，而她亦很享受在巨人的眼底下行動，這讓她感

覺緊張刺激。

「妍書呢？大家有見過妍書嗎？」只要不出意外，珍妮相信這次比賽勝利在望。

「妍書還未回來嗎？她已外出很久了啊。」星彩邊把線轆交給小人邊說。

但這次任務的勝利條件，還包括全組成員生還，缺一不可。

「回想起來……妍書好像已外出很久，但也還未回來。」京華小組已進入休閒模式，秀樹和可妮正和小人們打成一片。

「該不會被巨人抓到，一口把她吃掉了吧？」星彩在幻想妍書被巨人放入口中的畫面。

「不要呀！我辛辛苦苦追回這麼多分數，不可以就這樣被淘汰的！星彩，我們要在妍書被巨人消化前找她出來！」珍妮慌張起來，她害怕第一名的寶座**付諸流水**。

「大家……我回來了。」幸好珍妮只是虛驚

一場，妍書安然無恙的回到中轉站，只不過她沒有帶來小人的委託物品，而是牽著一個人的手回來。

「啊！是小愛啊！」偶像突然出現，星彩欣喜若狂。

「小愛？為什麼你會和妍書一起的？」珍妮不明白她們最大的競爭對手怎會出現在這裡。

「珍妮……你冷靜聽我說，不只小愛，還有他們……也一起過來了。」妍書戰戰兢兢，她知道脾氣暴躁的珍妮一定會大發雷霆。

「韋恩！還有司馬流星！」珍妮最討厭的韋恩小組竟然在關鍵時刻出現在她們面前。

在上一次冒險中，星彩小組因被韋恩所騙差點無法完成任務，珍妮對此還一直懷恨在心，但妍書卻和他們結伴同行，到底妍書在單獨行動時發生了什麼事？

自由意志

較早前,妍書接受了小人的委託單獨行動,為了找尋珍珠耳環,妍書通過小人族挖掘的通道,跟著小人留下的路標去到貴族千金的房間。

「誰也不會來救我……就算我多努力,大家轉眼之間便會忘記我。」小愛低頭抱膝,坐在鳥籠中自言自語。

被監禁的時間愈長,小愛的精神狀態便愈差,她呆坐下來胡思亂想,累積已久的壓力終於爆發。

「粉絲也好……組員也好……爸媽也好。」小愛的眼神黯淡無光,和在鏡頭面前活潑開朗的樣子判若兩人。

小愛渴望得到關注,為此她付出了旁人難以想像的努力,令自己每一次演出也能令粉絲印象深刻。

「為什麼大家……總是這麼善忘。」但無論

小愛花再多心機去唱歌和跳舞，大眾很快便會被新興的東西吸引過去，而漸漸把她遺忘。

唯有創作更新的歌曲，錄製更多的節目，小愛才能保持住人氣，成為大家的話題中心。「像星光般**閃爍奪目**，國民的少女偶像」，這是外界眼中的小愛，但沒有人知道小愛是多麼害怕，怕自己像星光一閃即逝。

「小愛！你……怎會被困在這裡的？」妍書發現在鳥籠中瑟縮一角的小愛。

「陳妍書……」小愛雙目無神的看著妍書，她不只被困在鳥籠，還被困在偶像的包袱中。

「我馬上救你出來，你等等我……」巨人輕描淡寫便能打開的小鎖扣，妍書出盡力氣，鎖扣還是文風不動。

「為什麼你要救我？你又不是我的組員。」小愛呆滯的問。

「就算不同組……我也不會**袖手旁觀**

呀。」妍書拿出「神秘生物圖鑑」，用力敲打在鎖扣上。

「因為你是我的粉絲，想聽我唱歌報答你吧？」接近小愛的人大多數是懷著目的，所以小愛一直沒有深交的朋友。

「比起歌聲，我更喜歡……你全情投入的樣子……」體虛力弱的妍書還在為救出小愛竭盡所能。

「什麼？」小愛從未見過有人為她這麼努力。

「你表演時真的很耀眼，那是……只有在做自己喜歡的事，全情投入時，才會散發的光芒。」妍書常常被迫做自己不感興趣的事。

「而我……也很希望像你這麼耀眼。」妍書羨慕小愛，不是因為她是人氣歌手，而是她做著自己喜歡的事情時，發光發亮。

是的，小愛也很享受唱歌和表現自己，只是

不知從何時開始，對人氣下滑的恐懼，蓋過了她從舞台得到的樂趣。

「你還是不要理我，快點離開吧。不然巨人回來的時候，你也會被關在籠子裡的。」而在小愛眼裡，正在傾盡全力拯救她的妍書，也在發光發亮。

「不……我再努力一下，一定能打開的。」妍書高舉書本，但乏力的她已站立不穩。

「我們的組員有勞你照顧了。」幸好從後趕到的韋恩扶住了妍書。

「小愛，我們來接你了。」流星和韋恩找遍了二樓，終於找到被囚禁的小愛。

「我還以為你們拋棄我了……」小愛忍住的淚水傾瀉而下，一個人被困在陌生的地方，還被巨人當成玩具，其實是十分可怕的事。

「間諜百合匙。」韋恩使用開鎖道具，成功解放出小愛。

「我們可是找遍了這幢府邸啊，這裡每一層也有二十個房間，若不是韋恩願意放棄這次的任務，恐怕到比賽結束時也未找到你。」流星安慰著說。

「在船上的時候，我應該握住你的手才對，對不起。」主動向人低頭認錯，是韋恩的第一次，韋恩意識到要拯救雪兒，不是他一己之力能達成的事。

「韋恩……」小愛感到意外，雖然她不知道關於雪兒的事，但她知道韋恩對第一名十分執著，也知道韋恩有多倔強。

「我們要儘快離開這裡，不然巨人回來就麻煩了。」流星透過小型人造衛星看到巨人已吃完晚飯。

「我知道一個安全的地方……請跟我來。」然後妍書便把韋恩小組帶回小人國。

★　★　★　★　★　★

小人國市集內，三個小組聚首一堂，本應激烈競爭的冒險比賽，變成了異世界大食會。

　　「真好味……而且很溫暖。」小愛喝著熱湯，京華製作的料理能為大家回復狀態。

　　「大家儘管多吃點吧！」京華喜歡**熱熱鬧鬧**的氣氛。

　　「不知道他在盤算什麼……大家還是離他們遠點為妙。」但珍妮還是對韋恩充滿戒心。

　　「放心吧，小愛才剛脫險，距離比賽結束只有兩小時，我們已決定放棄這場比賽。」韋恩覺得為時已晚。

　　「但下一次，我們不會再輸。」比賽還有三場，韋恩並沒有感到絕望。

　　「那餘下的時間我們該做什麼？」星彩問。

　　「瓶中船的位置在府邸後的湖泊，距離這裡約半小時的路程，我們還有一個半小時可以留在這裡。」秀樹說。

「當然是繼續完成小人的委託賺取分數呀，我們又不知道另外三個小組的得分有多少。」珍妮打算拼搏到最後一刻。

「但是……這樣……有用嗎？」妍書欲言又止。

「怎麼了？你想到什麼了嗎？」珍妮問。

「我們……這樣做任務，真的幫助得到小人國嗎？待我們離開後，小人族又會過著冒生命危險、在巨人的**威脅**下尋找物資的生活吧？」妍書皺起眉頭問。

「這裡只是虛擬世界呀，我們離開後，小人族會怎樣又有什麼所謂？」珍妮關心的只有分數和勝利。

「但既然我們來到這裡，難道不可以嘗試作出改變嗎？」妍書充滿幹勁，她想為小人國出一分力。

並不是生而為小人，就一定要活在巨人的陰影之下。妍書想要改變這現狀，像她想要改變在

現實世界被大人操控的現狀。

「你想怎樣做？」珍妮不希望節外生枝，但她能看出妍書已下定決心。

「把巨人趕出這府邸，把土地還給小人國。」

現在的妍書，像站在舞台的小愛般**奪目耀眼**。

「笑話……憑我們幾個可以趕走比我們高十倍的巨人？」珍妮認為這想法很不科學，而且這會大大增加被淘汰的風險。

「我支持妍書，而且我還未跟把我困在鳥籠的巨人算帳。」令人意外的，是小愛竟然第一時間站出來支持妍書。

「我也是，雖然不知道我們離開後會變成怎樣，但如果可以幫助小人國，我覺得我們應該一試。」星彩也和妍書同一陣線，比起結果，星彩更重視冒險的過程和意義。

「我們不會再讓小愛單獨行動，既然小愛支持，我們也加入。」韋恩已把這場比賽的勝負**置之度外**。

「好像很有趣呢，我們也加入吧！」京華小組也鼎力襄助。

「嘩哈哈哈哈！」

誇張的笑聲突然從後傳來。

「想不到你們這群凡人，會想到和我一樣的計劃，但沒有我偉大的黑暗力量幫助，你們是不會成功的。」嵐祐希和孖生胖子，帶同小人國搜索隊加入陣營。

冒險永遠是充滿變數的，規則之下我們有自由作出自己想要的選擇。

到底「元域探索」有什麼意義？唯有學生自己找出答案——屬於自己的答案。

奪回土地

明月高掛，豪華府邸內昏暗而寧靜，巨人們都已進入夢鄉，小人們卻忙碌的做著準備功夫，因為星彩、韋恩、京華和祐希所帶領的四個小組，決定為小人國奪回他們的土地。

小愛到底跑到哪裡了？

貴族千金茉莉亞發現小愛逃離鳥籠後十分失望，她的父母以為她說抓到小人是在撒謊。心有不甘的她在大人們都睡著後，提著油燈一邊打呵欠，一邊尋找小愛。

睡意朦朧的她突然看到白色的東西在走廊轉角位置飄過，她還以為自己一時眼花看錯，並沒有特別在意。

「為什麼我會感到愈來愈寒冷呢？」隨著氣溫下降，加上環境昏暗，令她愈發不安。

「啊！」白色的東西再次飄過，這次茉莉亞肯定自己沒有眼花。

「怎麼了……有誰躲在那裡嗎？」茉莉亞**戰戰兢兢**的走近，當她探頭望向轉角，詭異的一幕出現在她眼前了。

白色的幽靈飄浮在半空，茉莉亞擦擦眼睛，沒有腳的幽靈正飛撲向她。

「救……救命呀！」

茉莉亞急急退後，被預先埋伏的小人族拉緊的繩子絆倒地上。

「不要！不要傷害我！」茉莉亞慌張地在地上爬行，但地上一片濕潤，茉莉亞看看自己的雙手，發

現雙手染上血紅色。

「血⋯⋯是血呀！」茱莉亞嚇得瑟瑟發抖，但她的惡夢還未結束，化了一身恐怖妝扮的小愛，**披頭散髮、露出詭異**的笑容向她走近。

「小愛⋯⋯你怎麼了？」茱莉亞眼前的小愛像個女鬼一樣。

「我是由小人的怨魂集結而成的女鬼⋯⋯你們殘害小人，令小人滅絕，我現在要代所有死去的小人向你們報復⋯⋯」小愛逐漸變大，變得和巨人大小相若。

小愛的化妝十足恐怖電影的女鬼，加上她使用了「**冰雪水晶鞋**」的力量，每走近茱莉亞一步，她便感到寒冷刺骨。

「吖吖吖吖！」茱莉亞驚聲尖叫。

「怎麼了？為什麼會這麼吵的？」府邸的巨人們無論是貴族還是傭人也被吵醒，紛紛走出房間。

「爸爸媽媽……是鬼魂，小人族的鬼魂來向我們報復了！」茉莉亞雙腳發軟，禁不住哭喊起來。

「什麼？」茉莉亞的父母還未回過神來，府邸突然受到劇烈震動。

「哥哥，他們好小啊，我可以吃掉他們嗎？」孖生胖子變成千米巨人，小毅在府邸外的窗戶望進去。

「好啊，他們一定十分美味！」小智在另一邊的窗戶張開大口，兩個超大巨人包圍住府邸。

此刻巨人和小人身份對調，現在貴族深深感受到恐懼，感受到自己有多麼渺小。

「救命呀！不要吃我呀！」府邸內的巨人全都拼命逃跑，小人族佈置的陷阱令他們一仆一碌，狼狽不堪。

「以後誰敢再踏入小人國的土地，我們絕對不會客氣！」還在繼續變大的女鬼小愛最終衝破了府邸的屋頂，嚇得所有巨人雞飛狗走。

巨人終於離開了小人的土地，學生們部署的驚嚇計劃十分成功。

　　「祐希，我們成功了，可以停下了！」孖生胖子之所以能變成超大巨人，是因為祐希的道具。

　　「我已經吃不下了……未來幾天我恐怕也不用吃飯了……」從作戰開始，祐希便不停把京華煮的料理塞入口中，為了維持使用道具需要的精神力。

　　小智和小毅之所以變得這麼大，是因為祐希用「文字力量筆」在他們背上寫了「特大」二字。

　　「不用吃了，全靠你的力量，我們才能成功嚇跑巨人。」小愛回復原狀並抹去女鬼化妝，她背上也被寫上「漸大」二字，好讓小愛能把曾囚禁她的茉莉亞嚇得魂飛魄散。

　　「你也很厲害呀……若不是你精湛的演技，計劃也未必這麼成功。」近距離看著小愛的美貌，自大的祐希立即臉紅起來。

「以可妮製作的布偶，配合流星的小型衛星做成飄浮幽靈的假象，這也是很出色的想法。」京華很開心能看到大家合作無間。

「韋恩的化妝技巧也應記一功呢，竟能把這麼可愛的小愛化得這麼可怕。」星彩拍手叫好，上一次韋恩以道具變裝成星彩，這次把小愛化妝成女鬼更簡單得多。

「最大功勞的是陳研書，是她的計劃發揮出各人的長處。」韋恩冷冷的說。

「哈哈⋯⋯過獎了⋯⋯」妍書害羞的微笑著說。

「妍書是最棒的。」

小愛挽著妍書的手臂。經歷過這次冒險後，小愛和妍

書變得親密起來。

「妍書是我的呀！」星彩**不甘示弱**，立即抱住妍書宣示主權。

「各位，我們是時候離開了。」流星看看手錶，距離比賽結束只餘下半小時。

「謝謝你們替小人國趕走巨人，這份恩情我們絕對不會忘記。」小人國國王誠懇道謝。

大人國與小人國的虛擬大冒險接近**尾聲**，眾人向莊園後院的湖泊進發，學生只要在限時結束前登上湖邊的逃生船，便會回到現實世界進入計分環節。

「星彩，我們……待會一起向珍妮道歉吧。」妍書邊走邊說。

「為什麼？我們又沒有做錯……」小氣的星彩一臉不悅。

這個驅逐巨人的計劃，珍妮沒有參與。在大家**興高采烈**的制定作戰計劃時，她已怒氣

沖沖的離開。比起冒著被淘汰的風險做沒有回報的事，珍妮情願多接幾個小人的委託，賺取分數。

「無論誰對誰錯，我們三個也應該待在一起，因為我們⋯⋯是彼此最重要的朋友呀。」讓珍妮獨自離開，妍書心裡也不好受。

「我知道了，妍書你果然是最好的！抱抱！」星彩沒有對珍妮生氣，她只是不喜歡珍妮對勝利的執著。

眾人終於及時到達湖泊，但是等待他們的，不是圓滿的結局。

「珍妮，我們回來了！」星彩對湖邊的珍妮高聲呼喊。

「逃生船呢？秀樹不是說在這裡見過逃生船嗎？」韋恩不見秀樹曾提及在玻璃瓶內的瓶中船。

「奇怪了⋯⋯我們也是在這裡發現逃生船的。」祐希小組的降落地點就在湖泊，所以他們是最早發現瓶中船的人。

　　平靜的湖面突然出現動靜，破爛的船隻

殘骸和玻璃浮上水面。

「笨蛋⋯⋯一個二個也是笨蛋。都怪你們多管閒事⋯⋯我們四個小組已被**淘汰**了！」憤怒的珍妮兩眼通紅，不甘心的掉著眼淚。

眾人一臉驚恐的表情，還未有機會搞清事情的**來龍去脈**，比賽時間經已結束。

★　★　★　★　★　★

回到現實世界後，除下虛擬現實設備的星彩等人還未能接受被淘汰的事實，費安娜教授已在公佈第二次元域探索的比賽結果。

「這次的結果實在遠超我的預期⋯⋯當中我最欣賞的，是四個小組**不求回報、同心合力**把巨人趕出府邸的舉動。」費安娜教授說。

「但很可惜，這四個小組沒有達成通關條件，在限時結束前登上瓶中船。」屏幕顯示出六個小組分別得到的數字，其中四組因為被淘汰而只有

零分。

「這是因為瓶中船不見了呀！」這樣的結果星彩實在深深不忿。

「不是不見了，而是被炸毀了！」只有珍妮，目睹了事發經過。

「這次比賽的冠軍和亞軍，分別是『唐家三姐妹』和『劍與魔法組』。」費安娜宣布最終結果。

在地心世界的冒險中，『唐家三姐妹』和『劍與魔法組』這兩個小組沒有亮眼的表現，所以星彩等人對他們掉以輕心。但這一次她們發現了取勝的另一個有效方法，就是——主動出擊，淘汰其他競爭對手。

在下一次「元域探索」中，星彩等人將會面對更激烈的挑戰，參賽小組之間將面臨更直接的競爭。

E N D

第二次冒險完

5875 1388 1966562897

下回預告

下一個元域冒險的舞台，是位於法國小說家以儒勒‧凡爾納《海底兩萬哩》筆下的「亞特蘭蒂斯」。這個在傳說中擁有高度文明的強盛帝國，到底是如何在一夜之間沉沒大海中，成為人類的最大謎團之一？

2024年夏季出版

0 1 11 00 10 1 100

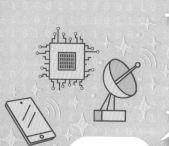

童話夢工場

十萬個 IT科技 為什麼

你真的懂科技嗎？

2024 STEM問答比賽

香港電腦教育學會

×

創造館 CREATION CABIN

B.Duck™
© 2005, 2023 SEMK PRODUCTS LIMITED

主辦

贊助

比賽日期 **2024年1月15日至28日**

參賽資格 **全港小學生**

活動詳情 https://subscription.creationcabin.com/stem2024/

 公開組

 ITCA組

ITCA學生如獲冠亞季軍或優異獎，
將可豁免銀章的專題研習考核。

各組別均設冠軍、亞軍、季軍及優異獎。

獎品

⭐ 冠軍 1名 $500創造館書券 ＋ B Duck 文具禮包

⭐ 亞軍 1名 $300創造館書券 ＋ B Duck 文具禮包

⭐ 季軍 1名 $200創造館書券 ＋ B Duck 文具禮包

優異獎 5名 圖書一本（價值$88）

家長 胶己人
睇完十本，不知不覺中文成績考咗全級第一。不清楚是不是它的原因，總之阿女喜歡！

家長 Sweetholic
英文版的《童話夢工場》及《閱讀理解》媽媽最愛，令小朋友愛不釋手，在家一口氣可做上 6 篇，哈哈！

家長 Virginia
無想過童話夢工場會開通了我小朋友喜歡閱讀，由第 1 集追到最新 29 集，令到她們的閱讀能力和作文能力有所提升！一路出一路追！

童話夢工場

家長 Karen Cheong
《童話夢工場》所有作品都係佢 favourite；唔算唔中意做嘅練習，有佢都願意做；宜家仲出咗英文版，真係 perfect for kids！

家長 Bo Hui
每一次見到個女自動自覺去睇故事書，媽媽都超感動；有一次忍唔住自己都睇，一睇就愛上。書裡面有好多四字詞語，都係學習重點。零威逼下，阿女自動波睇書，媽媽立時覺得世界好美麗！

Samantha Leung
《十萬個為什麼》系列是創新之作，令小朋友更簡易理解香港地理、資訊科技及理財概念！

B Ling Ling
我很欣賞耿啟文和貓十字，因為你們用心改造每一個角色！我好肯定之後會有更多人去買《童話夢工場》的書！你們要加油呀，永遠支持你們！

讀 者 好 評 迴 響
「我 們 這 一 代 的
必 看 童 書!」

Bella
精美的圖畫、有趣的故事都深深吸引住我；我本身最不喜歡中文故事書，但竟然愛上，真神奇！

Yan Chan
和同學都很喜歡《童話夢工場》，我們會一起討論故事內容。我現在最想要的禮物，就是媽媽每個月送我一本《童話夢工場》。

作者	陳四月
繪畫	多利
編輯	小尾
策劃	余兒
設計	Zaku
校對	Eva Lam
出版	創造館有限公司
	荃灣美環街 1-6 號時貿中心 6 樓 4 室
電話	3158 0918
發行	泛華發行代理有限公司
	香港新界將軍澳工業邨駿昌街七號二樓
印刷	高科技印刷集團有限公司
出版日期	2023 年 12 月
ISBN	978-988-70025-2-9
定價	$68
聯絡人	creationcabinhk@gmail.com

本故事之所有內容及人物純屬虛構，
如有雷同，實屬巧合。